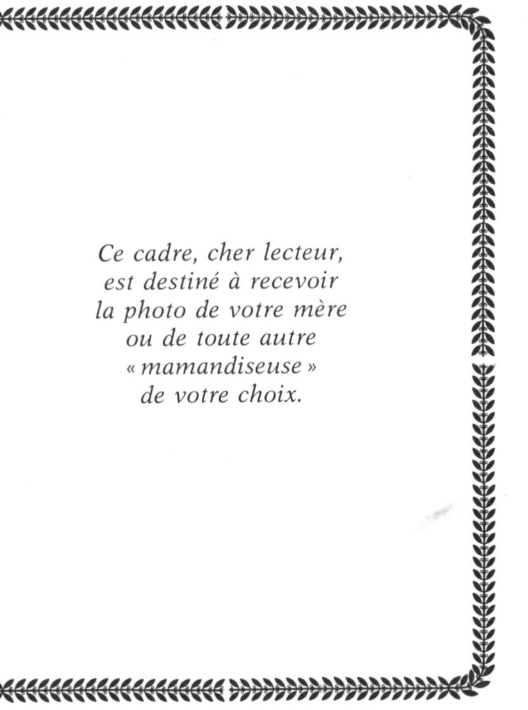

Ce cadre, cher lecteur,
est destiné à recevoir
la photo de votre mère
ou de toute autre
« mamandiseuse »
de votre choix.

Les mamandises

ou

Ma mère
me l'avait bien dit...

PAR NINA SUTTON

d'après une idée originale
de Michele Slung

ALBIN MICHEL

Le présent ouvrage a été réalisé
sur une idée originale de Michele Slung :
MOMILIES
"As my Mother Used to Say..."
Ballantine Books, New York

22, rue Huyghens, 75014 Paris

ISBN 2-226-02686-X

A Alice, qui me l'avait
bien dit.
Et à Emilie, qui n'a pas fini
de m'entendre...

Alice de Belleroche Sutton
mère de l'auteur

Tout commence avec cette peau douce, douce, douce que l'on voudrait dévorer de baisers. Avec les « *guili-guili* », les « *gouzi-gouza* », les « *mon ange, mon amour, mon trognon* ». Suivent les « *que c'est mignon tout ça* » et « *qui c'est-y qui t'a fabriqué ce joli nez-là ?* », mêlant l'émerveillement à l'incrédulité. Puis viennent les « *Dis donc, qu'est-ce que tu as grandi, toi* » et, sans qu'on s'en soit rendu compte, on est entré dans l'ère des mamandises.

Les mamandises, ce sont ces petites phrases que chacun de nous porte, quelque part entre la mémoire et l'instinct, plantées là par sa mère (ou celle qui en a fait office) qui, elle-même, les tenait de sa mère, qui ne faisait que répéter, en les modernisant un peu, celles que sa propre mère...

Petites phrases toutes faites qui, lorsque l'enfant paraît, resurgissent là où on les attend le moins. On se croit moderne, libérée (on s'est assez battue contre les préceptes maternels pour ça !) et, soudain, on s'entend susurrer : « *Mange. C'est bon, c'est Maman qui l'a fait* ». On a des idées avancées sur l'éducation des enfants. On condamne le chantage et tous ceux qui, pour se faire obéir, jouent à faire peur aux gosses. Pourtant, quelle est la mère (quelle est la grande sœur) qui pourrait, sans mentir, jurer qu'elle n'a jamais, vraiment jamais, lancé un « *Tu veux que je me fâche* » ou, mieux encore, un « *Si tu continues, tu sera privé(e) de dessert* » d'exaspération ?

Les mamandises varient avec les régions, le milieu social et les époques, mais pas tant que ça — après tout, les règles de base de la vie en société qu'elles sont censées inculquer changent assez peu. Souvent raisonnables, il leur arrive d'être parfaitement idiotes et, surtout, d'emberlificoter leur destinataire dans un réseau d'interdictions qui se contredisent, sans pour autant s'annuler. Elles chatouillent, elles piquent, elles griffent, elles égratignent, n'est-ce pas, Dr Freud — et, d'ailleurs, à voir la photo de votre mère (p.12), on imagine assez bien le genre de mamandises auxquelles nous devons la psychanalyse !

Dans « gourmander », nous explique le dictionnaire, l'envie de dévorer va de pair avec celle de réprimander. Gourmander, « mamander »... Serait-ce pour cela que, dix, vingt ou cinquante ans plus tard, les mamandises ont encore tant de saveur ?

Somme-mère

Amalie Nathanson Freud
mère de Sigmund

Les vérités premières

On n'a qu'une mère.

Ton père a toujours raison.

Il n'y a que les imbéciles qui aient toujours raison.

Qui t'aime plus que ta mère te trompe
(Corse)

Tu es la prunelle de mes yeux.

Tu es mon âme, mes yeux, ma vie...

C'est pour ton bien...

Je sais ce que je dis...
C'est moi qui te le dis...

Qui aime bien châtie bien.

Tu es grand(e) maintenant.

C'est pas toi qui décides !

Ça ne te regarde pas.

Ici, c'est moi qui commande.

Je ne suis pas ta bonne.

Je n'ai que dix doigts.
Je n'ai pas quatre bras.
Je ne peux pas être partout à la fois.

C'est le Bon Dieu qui t'a puni(e).

Ça pousse comme de la mauvaise herbe.

Mon avis, tu l'écouteras. Que tu le veuilles ou non.

Maud Marques Collaro
mère de Stéphane

Tu ne vis pas à l'hôtel.

L'aîné doit montrer l'exemple.

Jeu de mains, jeu de vilains.

On n'a rien sans rien.
Ça ne va pas te tomber tout rôti dans le bec.

Le monde appartient à ceux qui se lèvent tôt.

Jeanne Maillot de Gaulle
mère de Charles

Comme on fait son lit, on se couche.

On ne mange pas de glaces au Luxembourg, parce qu'elles sont faites avec l'eau de la Seine.

Les heures de sommeil avant minuit comptent double.

Les couteaux croisés, c'est le Diable dans la maison.

Quand on n'a pas de tête, il faut avoir des jambes.

Il n'y a que celui qui ne fait rien qui ne casse rien.

Touche-à-tout !

Il faut savoir tout faire dans la vie.

On ne peut pas faire deux choses à la fois.

C'est toujours les mêmes qui travaillent.

Y'a que l'intention qui compte.

Tu l'as voulu, tu l'as eu.

Si *je* veux!

Tu n'es pas le nombril du monde.

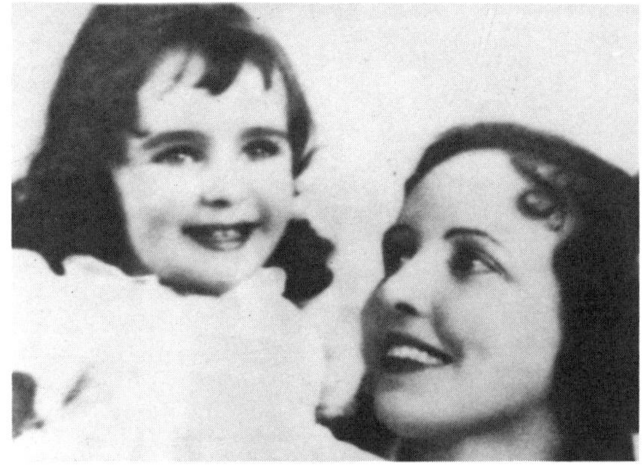

Sara Warmbrodt Taylor
en compagnie de sa fille Elizabeth

C'est l'âge ingrat.

Ça te passera avant que ça me reprenne.

Bien mal acquis ne profite jamais.

Donné c'est donné, repris c'est volé.

Quand on triche au jeu, on triche dans la vie.

Ça va passer.
Ça vaut mieux qu'une jambe cassée.
Ç'aurait pu être pire.

Parce que!... Et puis, tu m'embêtes.

« Les ordres sont faits pour être obéis »

C'est comme ça et pas autrement.

Non c'est non !
Il n'y a pas de « mais » qui tienne.
J'ai dit NON !

Je t'interdis absolument de me parler sur ce ton.

Un ordre, c'est un ordre.
Cesse de discuter.

Essuie tes pieds avant d'entrer.

Fouille pas dans mon sac.

Arrête de cacouiller dans ma cuisine !

Touche pas à ça, tu ne sais pas d'où ça vient.

Olia Ginzburg
mère de Serge Gainsbourg

Combien de fois dois-je te le répéter, je ne veux pas de souris (*lézard, couleuvre, hanneton, ver de terre, hérisson*, etc.) à la maison.

Réduis-moi ce chenil *(Suisse : range ton désordre).*

Arrête de te faire remarquer.

Sois gentil(le), il est plus petit que toi.

Joue avec ta petite sœur.

Laisse ta sœur tranquille.

Marie Legrand
mère de Marguerite Duras

Cesse tes simagrées.

Couvre-toi, j'ai froid.

Enlève ton manteau sinon tu auras froid en sortant.

@

Baisse ton capuchon avant de traverser.

@

Allez vous battre ailleurs !

@

C'est bientôt fini, cette comédie ?

@

Mais veux-tu arrêter à la fin !

@

Va te mettre la tête sous la douche.

@

Retrousse tes manches et prends-toi par la main...

@

Si tu commences, tu finis.

@

Ne fais pas aux autres ce que tu ne voudrais pas qu'on te fasse.

@

Fais donc ce qu'on te dit.

Vite, vite, pyjama, robe de chambre, chaussons.

Pipi, les dents, au lit.

Le marchand de sable est passé.

Je ne veux plus rien entendre.

Pleure pas comme ça, tu vas faire pleurer le Bon Dieu.

Minnie Marx
mère des Marx Brothers

« On », l'enfant modèle

On ne parle pas à sa mère sur ce ton.

On ne dit pas de gros mots.

On ne répond pas.

On ne juge pas ses parents.

On ne lève pas la main sur sa mère.

On ne montre pas du doigt.

On frappe avant d'entrer.

On se lève pour dire bonjour.

On ne se trémousse pas.

Suzanne Ghrenassia
mère d'Enrico Macias

On ne se vautre pas.

On prête ses jouets.

On ne claque pas les portes.

On ne hausse pas les épaules.

On ne lève pas les yeux au ciel.

On ne gribouille pas sur les murs.

On ne parle pas aux étrangers.

On ne joue pas avec la nourriture.

On ne jette pas le pain.

On ne lit pas à table.

On ne parle pas de nourriture à table.

On ne parle pas la bouche pleine.

On ne se lèche pas les doigts.

On ne sort pas de table sans permission.

On se calme !

On tourne sept fois sa langue dans sa bouche avant de parler.

On ne prête pas son chewing-gum.

On ne se ronge pas les ongles.

On ne joue pas avec les allumettes.

On n'adore que le Bon Dieu... *(pas les spaghetti).*

On ne rapporte pas.

On ne dit pas « on ».

Adèle-Eugénie-Sidonie Landoy Colette
mère de Colette

Ah ! les sales gosses

Tu te crois tout permis.

Polisson, garnement, coquin...
Empoté(e) !

Petit enfant, c'est souci pour les bras. Grand enfant, c'est souci pour la tête.

Petit enfant, petit souci. Grand enfant, grand souci.

Je te l'avais bien dit.

Ça ne m'étonne pas de toi.

C'est toujours la faute des autres !

Tu es sale comme un peigne !

Si tu n'étais pas tout le temps dans mes pattes, ça n'arriverait pas.

Arrêtez de vous disputer !

Tu mens comme tu respires.

Qu'est-ce que tu fabriques ?

A quoi tu penses ?

Un menteur c'est pire qu'un voleur, parce qu'un voleur on le prend la main dans le sac, alors qu'un menteur ferait tuer père et mère.

Il n'a pas la langue dans sa poche.

Montre-moi tes yeux que je voie si tu mens.

C'est bien fait !
Tu l'as bien cherché.

C'est la méchanceté qui ressort.

Pauline Koch Einstein
mère d'Albert

De quoi je me mêle ?

Celle-là, elle me répondrait jusque dans les dents.

Ceux qui te prendront la nuit te ramèneront le jour quand ils verront ce qu'ils ont pris *(Lyon).*

Tu es bien silencieux...

Il faut toujours que tu aies le dernier mot.

Tu ne sais même pas de quoi tu parles.

Tu ne m'écoutes pas !

Tête à claques !

Tu n'es bon(ne) à rien.

Ne me regarde pas comme ça.

Quand on est franc, on regarde les gens en face.

Il n'y a pas que soi qui compte dans la vie.

Tu n'as que ce que tu mérites !

Là ! Tu es content(e) maintenant que tu as fait pleurer ta sœur ?

Quand maman menace...

Oh, les belles petites fesses roses ! Je vais les manger.

Tu veux que je me fâche ?

Si tu crois que ça va se passer comme ça.

Tu veux une claque (*une torgnole, une calotte, un aller-retour, une beigne, une tarte, une baffe, une volée, une giroflée...*) ?

Tu l'as vue, celle-ci *(la main levée)* ?

Attention ! Tu vas prendre une danse.

Gare à tes fesses.

Je compte jusqu'à trois...

Anne-Marie Greffier Bodard
mère de Lucien

Tu vas prendre une fessée, comme ça tu sauras pourquoi tu pleures !

Tu vas faire connaissance avec mon balai !

Attends un peu. Je vais t'apprendre à vivre, moi !

Je vais te frotter les oreilles.
Je vais te tailler les oreilles en pointe.
Je vais te mettre la tête entre les deux oreilles.

Tu vas voir de quel bois je me chauffe.

Je ne plaisante pas !

Tu vas comprendre ta douleur !

Je vais en prendre un pour taper sur l'autre.

Si tu ne manges pas ta soupe, tu seras privé(e) de dessert (*de télévision*, etc.).

Si tu te noies, je te tue.

Assieds-toi, ou je te casse en deux !

Je vais m'occuper de toi...

Va falloir que ça change !

Elsie Kingdom Leach
mère de Cary Grant

Ne tire pas la langue, si les cloches de Rome sonnent, tu vas rester comme ça.

Arrête de faire des grimaces, si la lune tourne, tu resteras comme ça.

Si tu continues, je vais t'enfermer dehors.

Fais attention, tu vas encore te faire écraser !

A table !

Une cuillerée pour maman, une cuillerée pour papa...

Les enfants ne parlent pas à table.
N'interromps pas les grandes personnes.
Les enfants se taisent quand les grandes personnes parlent.

Il y en aura pour tout le monde.

Tu n'es pas tout(e) seul(e).

Tu as les yeux plus gros que le ventre.

N'avale pas tout rond.

Mange. Pense aux petits Ethiopiens (*Cambodgiens, Chinois,* etc.).

Ne vous jetez pas sur la nourriture comme les affamés de Russie.

Mange ta soupe, ça fait grandir.

Si tu manges tes carottes, je te raconterai une histoire.

Mange tes carottes, ça rend aimable, tu verras mieux la nuit, ça fait les cuisses (*les fesses*) roses, ça donne les yeux bleus...

Les bananes, ça rend intelligent.

Le poisson, ça donne de la mémoire.

Palmyre Cahn Mendès-France (mère de Pierre, qui est assis sur les genoux de sa grand-mère maternelle, à côté de la mère de celle-ci)

— Mais les endives, c'est amer. — Si c'est ta mère, il faut l'aimer !

Ferme la bouche en mangeant.

On ne mange pas avec ses doigts.

N'avale pas le noyau. Tu veux qu'un arbre pousse dans ton ventre ?

Tes coudes !

Si tu n'aimes pas ça, n'en dégoûte pas les autres.

On ne regarde pas dans l'assiette de son voisin.

Attends que tout le monde soit servi avant de commencer.

Ne te jette pas sur le plat quand il arrive.

Fais moins de bruit en mangeant.

Maria Picasso López
mère de Pablo

Il faut manger de tout.

❦

Finis d'abord ce qu'il y a dans ton assiette.

❦

C'est bon, c'est maman qui l'a fait.

❦

Ça ne peut pas être mauvais, il n'y a que des bonnes choses dedans.

❦

On n'a pas besoin d'avoir faim pour les bonnes choses.

❦

On pousse avec du pain.

❦

Ne te bourre pas de pain.

❦

Mange tes pâtes ou je *te* tue *(version italienne).*
Mange tes patates ou je *me* tue *(version juive).*

❦

Tu n'as plus faim et tu veux une banane !

❦

Étouffe-toi, mais tais-toi !

Yvonne Lorrain Mitterrand
mère de François

Evangelina Dimitriadis Calogeropoulos
mère de Maria Callas

Les bonnes manières

Ça ne se dit pas!
Ça ne se fait pas!

~

Dis merci à la dame.

~

Qu'est-ce qu'on dit?
Merci qui?
Merci, mon chien!

~

Tiens-toi droit(e) et baisse les épaules.

~

L'exactitude est la politesse des rois.

~

N'oublie pas de prendre tes précautions avant de sortir.

~

Ne traîne pas les pieds.
Regarde où tu marches.
Ne marche pas pieds nus.
Ne marche pas dans l'eau.
Ne marche pas les pieds en dedans.
Lève les pieds en marchant.

Respire le bon air.

Ne parle pas au petit garçon, tu ne le connais pas.

Ne te mets pas en nage.

Touche avec tes yeux.

Ronge pas tes ongles.

Range tes affaires.

Ramasse !!!

Propreté est politesse.

Mets la main devant ta bouche.

Laisse ton nez tranquille.
Te mouche pas avec ta manche.
Tu veux mes doigts ?

Mouche ton nez, remonte tes chaussettes et dis bonjour à la dame.

Tu as les ongles en deuil.

Pousse la navette, le beau temps reviendra *(Touraine : encouragement donné à bébé sur son pot).*

Ann Geilus Austerlitz
mère de Fred Astaire

Va te laver les mains.

Est-ce que tu t'es lavé derrière les oreilles ?

Si tu ne te laves pas les oreilles,
il va te pousser du persil dedans.

Si tu ne te laves pas le nombril,
il y poussera une pomme de terre.

Fais (*attache*) tes lacets.

Tu as boutonné lundi avec vendredi !

Qui dort dîne.

Garde ton pouce pour la faim.

Si tu as faim, mange ton poing
et garde l'autre pour demain.

Si tu continues à sucer ton pouce,
t'auras les dents en avant.

Anna Platini
mère de Michel

Mets une culotte propre. Et si tu te faisais renverser ?

ꝏ

Tu chanteras au dessert si l'on t'en prie.

ꝏ

Le roi dit : « Nous voulons ».

ꝏ

Sois gentil(le) avec ta grand-mère.

ꝏ

Tu t'es coiffé(e) avec un râteau ?

Nos amies les bêtes...

Ma colombe, ma biche, ma puce.
Mon petit canard en sucre, mon poulet, mon poussin.
Mon chat.
Mon agneau bien-aimé.
Mon lapin bleu...

Arrête de te regarder dans la glace, sinon tu vas voir un singe (*variante bretonne* : sinon tu vas voir le diable).

Ferme la bouche, tu vas avaler une mouche.

Tu as fini de bayer aux corneilles ?

Les petits bêtes ne mangent pas les grosses.

Tu réussiras, si les petits cochons ne te mangent pas.

Les œufs n'ont pas de leçon à donner à la poule.

Oh ! Les larmes de crocodile !

Cet enfant est têtu comme une mule,
malin comme un singe,
gai comme un pinson,
méchant comme une teigne (*ou une gale*)
bête comme une oie,
bavard comme une pie,
rusé comme un renard,
collant comme une sangsue

Elizabeth van Adorp Brel
mère de Jacques

C'est pas à un vieux singe qu'on apprend à faire la grimace.

C'est ça ! J'en parlerai à mon cheval.

Pas besoin d'être poule pour savoir si l'œuf est frais.

On dirait une poule qui a trouvé un couteau !

Je me sens comme une poule qui a couvé un canard.

Caresse de chien donne des puces.

Qui vole un œuf, vole un bœuf.

Petit poisson deviendra grand.

Quelle mouche t'a piqué ?

Quel âne !

On n'a pas gardé les cochons ensemble.

Petit goret, va !

Un vrai papillon !

Espèce de perroquet !

Tête de linotte.

Ne me suis pas partout comme un toutou.

Huguette Clerc Smet
avec son fils Johnny Halliday

Le papa-cliché

C'est son père tout craché.

~

Prends exemple sur ton père.

~

T'auras qu'à demander à ton père,
lui il saura.

~

N'embête pas ton père quand il lit le journal.

~

Si ton père savait ça !...

~

Attends que je le dise à ton père...

~

Va embrasser ton père.

~

Baisse les yeux devant ton père.

~

Demande pardon à papa.

Grace Hall Hemingway
mère d'Ernest

Tu vas te faire disputer par papa.

Fais moins de bruit, tu vas réveiller ton père.

Ne dis pas à ton père que je t'ai donné de l'argent.

Qui tu préfères, papa ou maman ?

Jennie Jerome Churchill
mère de Winston

L'argent

Un sou c'est un sou.

°°°◎°°°

Les petits ruisseaux font les grandes rivières.

°°°◎°°°

Chez nous, on ne compte pas.

°°°◎°°°

Tu crois que l'argent pousse sur les arbres ?
Tu crois que l'argent se ramasse sous le pas des chevaux ?

°°°◎°°°

Tu as les mains percées.

°°°◎°°°

L'argent ne fait pas le bonheur.

°°°◎°°°

Cent sous pour tes pensées.

°°°◎°°°

Il faut apprendre à gérer ton argent.

Jeanne Weil Proust
mère de Marcel

Pour la peine, tu sera privé(e) d'argent de poche.

°°o❦o°°

Ne jette pas les élastiques (*bouts de ficelle, boîtes à chaussures*, etc.), ça peut toujours servir.

°°o❦o°°

Quand ce sera ton argent...

°°o❦o°°

Est-ce une façon de gagner sa vie ?

°°o❦o°°

L'école

Alors, on a été sage aujourd'hui ?

■

Tu n'as pas assez de fièvre pour manquer l'école.

■

Si tu es trop malade pour aller à l'école, tu l'es aussi pour regarder la télévision !

■

Fais voir ton cahier de textes.

■

Lève la tête, tu vas t'esquinter les yeux.

■

N'écorne pas les pages.
Tourne les pages sans lécher ton doigt.

■

Tu lis trop, ça va te donner mal à la tête.

■

As-tu fait tes devoirs ?

C'est pas écrit au plafond !

■

As-tu préparé ton cartable ?

Solange Séchan
(mère du chanteur Renaud, à gauche.
Son frère jumeau s'appelle David)

Prends ton sac et ta collation *(Normandie)*.

■

Tâche d'être à la hauteur !
Ramasse-toi *(Alsace : concentre-toi)*.

Il est sage comme une image.

N'étale pas ta science.

Il n'y a pas de mauvais outil, il n'y a que de mauvais ouvriers.

Moi, je vais aller lui parler, à ta maîtresse.

Si jamais vous osez toucher à un cheveu de sa tête...

Eh bien ! Si c'est ça qu'on t'apprend à l'école !

C'est pas la peine d'aller à l'école pour être aussi malin !

Réservé aux filles...

Tu es tellement plus jolie quand tu souris.

Baisse ta jupe, on voit tout.

Tiens-toi droite.

T'es belle comme un cœur.

Baisse les yeux, effrontée !

Tu n'es qu'un garçon manqué.

Ma pauvre chérie, tu es comme moi maintenant : une vraie femme.

Lève-toi chercher le sel pour ton frère.

Marie cochon !

Lucienne Wilbaux Mathieu-Saint-Laurent
mère d'Yves Saint-Laurent

Rentre ton ventre.

Tu pues la cocotte.

On dirait une bohémienne !

Ta virginité, ma chérie, c'est ton capital.

Ne mets pas tes mains là, ça va pousser.

Tu finiras sur le trottoir!

Mademoiselle se prend pour une princesse ?

Veux-tu bien m'enlever la peinture que tu as sur la figure.

Des talons ? A ton âge ?

Tu ne vas pas sortir comme ça ?

Ôte tes cheveux de tes yeux.

Ramasse ta tignasse.

Arrête de faire l'intéressante.

Sainte Nitouche!

Les animaux suent, les hommes transpirent et nous, nous avons chaud!

Julie Löwy Kafka
mère de Franz

Une femme qui n'a pas de métier est une femme perdue.

Si tu veux te faire respecter par ton mari, il faut que tu travailles.

Mais, ma pauvre chérie, de mon temps, les femmes n'avaient pas besoin de gagner leur vie !

Un bon mari, c'est celui qui t'entretient.

Un homme n'est rien, c'est sa femme qui le fait.

Et qu'est-ce qu'il fait dans la vie,
son père ?

Madeleine Reinaud-Richard Belmondo
mère de Jean-Paul

... et aux garçons

On dirait une fille !

Grand bêta !

Plus c'est grand, plus c'est bête.

Ça y est : tu es plus grand que ton père !

Pleure, tu pisseras moins.

Méfie-toi des filles.

Un garçon ne tend jamais la main le premier.

On tient la porte.
On s'efface dans une porte.

Agnès Martin Devos
mère de Raymond

Tu es trop beau, mon fils, va te cacher dans un placard *(accent pied-noir).*

Tu finiras sur l'échafaud.

Ce que tu es brutal!
Espèce de brise-fer.

T'es un homme ou une poule mouillée?

C'est toi l'homme de la famille, ne l'oublie pas.

Je te confie ta sœur.

Grand nigaud, va !

Pisse et bois, la fontaine est à toi.

Un grand garçon comme toi, ça ne pleure pas.

Un garçon, ça ne pleure pas en public.

Oh, le joli petit robinet !
Rentre ton bazar, c'est dégoûtant.
Sors tes mains de tes poches, tu te nuis.

Quand maman se croit drôle...

Ça t'écorcherait la langue de dire merci ?

ꕥ

Tu te prends pour qui ?

ꕥ

Ferme la bouche, on voit le fond de ta culotte.

ꕥ

Tu n'es pas *obligé(e)* de marcher dans les flaques.

ꕥ

Tu as l'intention de passer la journée au lit ?

ꕥ

Tu as un pois chiche dans la tête.

ꕥ

Tu ne seras pas content(e) tant que tu ne l'auras pas cassé.

ꕥ

Si tu te fais mal, ne compte pas sur moi pour te consoler.

Si tu te voyais dans une glace !

Reste pas planté(e) là, tu vas prendre racine.

Va voir ailleurs si j'y suis.

Agatha, allez admirer le coucher de soleil sur le balcon !

Va chercher la corde à tourner le vent *(Beauce).*

Tu fais du boudin ?
Tu peux bouder autant que tu veux, ça m'est bien égal.
Tu vas bouder encore longtemps ?

Oh, le pleure-sans-larme !
Jean qui pleure. Jean qui rit.

Tu appelles ça faire un lit (*ranger, faire la vaisselle, mettre la table*) ?

Tu es dégourdi comme un manche.

Nellie Wilson Reagan
mère de Ronald

Sale outil ! *(Isère).*

ꕥ

Tu dis des bêtises plus grosses que toi.

ꕥ

Tu sais toujours mieux que tout le monde.

ꕥ

Tu ne vas pas en faire un drame *(suivant région :* une montagne, un fromage, une pastèque...).

ꕥ

T'es pas en sucre.

ꕥ

Cause toujours, tu m'intéresses !

ꕥ

T'as perdu ta langue ?

ꕥ

Quand elle fait du chantage

Quand je ne serai plus là...

Moi, ce que je veux c'est ton bonheur...

Qu'est-ce qu'il va dire, le monsieur ?

Tu ne veux pas faire de la peine à maman hein mon chéri ?

Tu veux ma mort ?

Si tu savais le mal que tu me fais...

Tu es pire que ta sœur !

Arrête, tu vas me faire tousser.

Ça restera entre nous, mais que ça ne t'empêche pas de réfléchir.

Regarde la petite fille, comme elle est mignonne, *elle*.

Finis tes devoirs, sinon pas de télé.

Si tu n'es pas sage, je vais le dire au Père Noël.
Si tu ne manges pas, le loup va venir te manger.
Si tu ne tais pas, j'appelle le Père Fouettard.

Tu me feras tourner en bourrique.
Cet enfant me rend chèvre (*me rendra folle*).

Qu'est-ce qu'il pense, le petit Jésus qui te regarde du haut du ciel ?

Oh ! Les gros mensonges

Tu es encore plus beau avec tes lunettes.

๑

Oh, le joli dessin !

๑

Mais voyons, mon chouchou, 25e sur 30 c'est pas mal du tout.

๑

Une tour Eiffel ! Merci, mon amour, c'est exactement ce que je voulais.

๑

Tu peux tout me dire.

๑

Je préfère ne rien savoir.

๑

Maman tient toujours ses promesses.

๑

Moi, je n'ai jamais menti à ma mère.

Renée Deneuve Dorleac
mère de Catherine Deneuve

Je ne te retiens pas...

Si tu pars, ce n'est pas la peine de revenir.

Ça me fait plus de mal à moi qu'à toi.

Faute avouée est à moitié pardonnée.

Quand tu gagneras ta vie, tu pourras faire ce que tu veux.

Moi, j'étais bien contente que ma sœur me passe ses affaires !

C'est mon petit doigt qui me l'a dit.

Ton nez remue.

Je ne fais aucune différence entre mes enfants.

Est-ce qu'une mère mentirait à son fils (à sa fille) ?

Elle n'avait pas mérité ça !

Si tu savais comme j'ai souffert pour te mettre au monde.

Un jour, tu regretteras tout le mal que tu m'as fait.

Après tout ce que j'ai fait pour toi...

Tu le fais exprès !

Tu viens de *me* faire la coqueluche, tu ne vas pas aussi *me* faire une varicelle !

Qu'est-ce que j'ai fait au Bon Dieu pour mériter des enfants pareils ?

Moi qui t'ai tout sacrifié...
Moi qui me ferais tuer pour toi !

Je me reposerai quand je serai morte...

Si j'avais parlé à ma mère comme ça !
Est-ce une façon de répondre à sa mère ?

Si tu crois que j'avais le confort...

Ah ! Comme tu étais mignon quand tu étais petit.

Et dire que tu as l'âge de raison !

Tu veux faire du vélo ? Pour tomber ! *(accent pied-noir).*

Moi, à ton âge...
De mon temps...
Si tu crois que j'avais le droit de faire ça...

On me l'avait bien dit que tu me ferais verser des larmes de sang.

Moi qui aurais tant aimé avoir un frère !

Je ne comprends pas pourquoi tu es si gentil avec les autres et si méchant avec moi.

Tu as honte de ta mère ?

Je pourrais me tuer pour vous, ça vous serait égal...

Tes copains, ils jouent avec toi cinq minutes et puis, ils vont travailler, eux... *(accent pied-noir).*

Faut toujours que tu mettes quelqu'un entre toi et moi.

J'ai perdu mes enfants en mai 68.

Tu ne me téléphones jamais...

Quel avenir !

Tu verras, quand tu auras des enfants !

Tu verras quand tu seras à l'armée...

On en reparlera quand tu seras majeur(e).

On n'est jamais majeur pour ses parents.

Un « tiens » vaut mieux que deux « tu l'auras ».

On ne sait jamais...

Ça sera guéri quand tu te marieras.
Ça te passera avant que tu ne te maries.

Garde tes larmes pour quand tu seras mariée.

Tel qui rit vendredi, dimanche pleurera.

Plus tard, tu comprendras.
Plus tard, tu me remercieras !

Tu finiras clochard (e).

Il faut savoir attendre.

Tu ne pourras pas dire que je ne t'avais pas prévenu(e).

Quand tu gagneras ta vie...

Ne t'inquiète pas, il y en aura d'autres.

Ce que je ne te dis pas, c'est la vie qui te le dira.

Profites-en, tu manges ton pain blanc le premier.

Mange, tu ne sais pas qui te mangera.

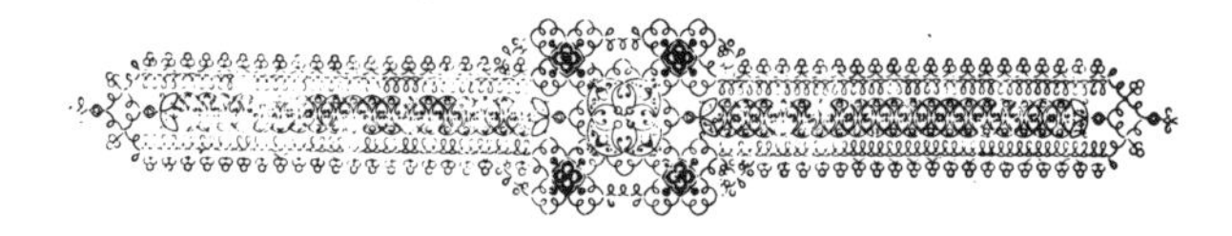

Emilia Kaczorowska Wojtyla
mère de Jean-Paul II

Enfin, le mot de papa :

On ne me dit jamais rien dans cette maison.

A chacun
ses mamandises :

❧

❧

❧

❧

❧

❧

❧

Remerciements

Irène Allier, Marlène Amar, Elsa Assidon, Mireille Bardos, Irène Barki, Thérèse et Jean-Pierre Binchet, Nicole Boudon, Dolorès Bussy-Socrate, Danièle, Stéphane et Julien Braunschweig, Jean-Claude Brodbeck, Marie-Pierre Carretier, Geneviève Cattan, Christine Colonna-Cesari, Christine Cottin, Paule Darmon, Elizabeth Dumas, Gilbert Faccarello, Claude et Marie-Odile Fargier, Philippe Faure, Catherine Fourty, Madeleine Gesta, Christine Giesbert, Arlette Guyonnet, Pierre Hartmann, la famille Krief (« Le Verre à soi »), Jean Lacouture, Safia et Hugo Lacroix, Catherine Lamour, Pierre Langlade, Denise Lazian, Martine Ledieu, Anne Le Lorier, Laure Leray-Fanlac, Aude et Denise Mairey, Jacques Marchand, Andrée Mazzolini, Alexandre et Bernard Oudin, Claudine Peyre, Pierre Pouillon, Monique Poulain, Françoise Py-Mokrane, Lucien Rioux, François Schlosser, David Sharp, Liliane Sichler, Elise Simoën, Elizabeth et Caroline Solé (6 ans), Evelyne Sutton, Emilie Sutton-Sharp (2 ans 1/2), Marie-Françoise Tardien, Olivier Todd, Jacqueline Vaysse, Catherine Verchère, Nicole Vitrier, Robert Weingarten.

Sans oublier quelques perles glanées dans le très drôle *Comment devenir une mère juive* de Dan Greenburg (J. Lanzmann & Seghers Editeurs),

ni, bien sûr, mon amie Michèle Slung, dont les « momilies » ont donné le jour à ces « mamandises », même si les mères américaines disent plus souvent « *Mother knows best* » que « *Ton père a toujours raison* » !

Crédits photographiques

Ont été gracieusement prêtées, les photos des mères : des Marx Brothers (p. 24) par Maxine Marx; de Lucien Bodard (p. 35) par les Editions Grasset-Fasquelle; de Pierre Mendès-France (p. 39) par l'Institut Pierre Mendès-France; de Maria Callas (p. 44) par Ariana Stassinopoulos; de Jacques Brel (p. 51) par la Fondation internationale Jacques Brel, Bruxelles; de Johnny Halliday (p. 53) par Édition n° 1 - Fillipacchi; de Marcel Proust (p. 58), par Robert Phelps; de Ronald Reagan (p. 74) par la Maison-Blanche; d'Elizabeth Taylor (p. 18) et de Fred Astaire (p. 47) par The Memory Shop, New York.

Collections privées : les mères de Stéphane Collaro (p. 15); Serge Gainsbourg (p. 21); Marguerite Duras (p. 22); Enrico Macias (p. 26); Cary Grant (p. 37); François Mitterrand (p. 43); Michel Platini (p. 49); Renaud (p. 61); Yves Saint-Laurent (p. 64); Raymond Devos (p. 70); Catherine Deneuve (p. 79).

La photo de la mère de Pablo Picasso (p. 41) est extraite de « Picasso vivant » et a été gracieusement prêtée par les Ediciones Poligrafa, Barcelone.

La photo de la mère de Sigmund Freud (p. 12) nous a été fournie par la Mary Evans Picture Library, Londres; celle de la mère d'Albert Einstein (p. 32) par Eth Bibliothek, Zurich; celle de la mère d'Ernest Hemingway (p. 55) par la J.F. Kennedy Library, Boston; celle de la mère de Winston Churchill (p. 56) par la Smithsonian Institution, Washington.

Agences : les mères de Charles de Gaulle (p. 16), Roger Viollet; de Colette (p. 29), Roger Viollet; de Jean-Paul Belmondo (p. 68), Profil Presse; de Jean-Paul II (p. 86), SIPA.

Cet ouvrage,
réalisé sur des maquettes de Massin,
a été composé par Charente-Photogravure
à Angoulême,
imprimé sur les presses de Publiphotoffset
à Paris,
et cartonné par Mellottée
à Limoges,
pour les éditions Albin Michel

Achevé d'imprimer en juin 1986
N° d'édition **9417**

Dépôt légal juin 1986